Les plus beaux
Contes Classiques

Textes de Sognare.
Adaptation française de Marie-Françoise Perat.

Hemma

Les plus beaux

Contes Classiques

Textes de Sognare.
Adaptation française de Marie-Françoise Perat.

Illustrations de
Silvia Provantini

Un monde merveilleux

Qui a oublié l'enchantement des contes lus par ses parents ou ses grands-parents avant de s'endormir ? Qui n'a pas rêvé à ces mondes merveilleux peuplés de fées, de princesses, de rois et de reines dans leurs châteaux magnifiques ? Qui n'a pas tremblé devant les vilaines sorcières, les ogres voraces ou les loups menaçants sortis tout droit d'un cauchemar ?

Les contes appartiennent au patrimoine culturel depuis des siècles. Ce ne sont pas seulement de petites histoires pour divertir les enfants. Les vertus éducatives, les moralités, les leçons de vie qu'ils recèlent leur donnent une valeur inestimable. Autrefois, les contes de fées étaient racontés par les femmes occupées à leurs tâches quotidiennes, pétrissant le pain, filant la laine, par une nourrice berçant un enfant ou un grand-père se chauffant au coin du feu. Ils se sont ainsi transmis oralement de générations en générations, perpétuant des gestes, des coutumes, des rituels enracinés dans la tradition populaire.

La plupart des contes débutent d'abord comme des récits de la vie réelle : on y rencontre des nourrissons, des petites filles, des paysans, des bûcherons… D'autres font étalage du luxe, de la richesse, de la puissance de rois et de reines qui vivent dans des palais somptueux. Il y a aussi ceux qui mettent en scène des animaux qui parlent. Dans chacun des contes, les personnages doivent affronter diverses épreuves : la pauvreté, la jalousie, la méchanceté… Soudain, le surnaturel s'ajoute au réel. Entrent alors en scène, des fées, des sorcières, des magiciens, des génies, des animaux dotés de pouvoirs extraordinaires… et, d'un coup de baguette magique, l'histoire prend une dimension fantastique ou merveilleuse.

Les contes font resurgir des peurs enfouies tout au fond de nous : un loup affamé, un ogre cruel, des sorcières maléfiques, des dragons terrifiants… Mais quel délice de trembler tout en sachant que l'on n'est pas réellement menacés, que tout se passe dans l'imaginaire et que tout finira bien – Blanche-Neige épouse son prince et ils sont très heureux, le Chat botté fait la fortune de son maître et Pinocchio devient un vrai petit garçon ! Ce dénouement heureux est porteur d'un espoir dont nous avons tous besoin.

Les contes, outre le plaisir qu'ils procurent, sont un outil pédagogique précieux pour enrichir le bagage intellectuel des enfants : la culture, le langage, l'imagination. Ils constituent un genre littéraire à part entière et des auteurs ont donné au conte ses lettres de noblesse. Charles Perrault, les frères Jacob et Wilhelm Grimm, Hans Christian Andersen ou encore Lewis Carroll. Grâce à eux, depuis des générations, des fillettes rêvent au prince charmant et des petits garçons combattent des dragons imaginaires.

Dehors, le vent siffle dans les branches, la pluie s'est mise à battre les carreaux. Installez-vous confortablement, bien au chaud, votre petit blotti tout contre vous et, d'une voix douce, entraînez-le dans ce monde extraordinaire :

Il était une fois...

5

Les Trois Petits Cochons

Joseph Jacob

❧❦❧

Trois petits frères voulaient vivre leur vie.

Un loup affamé était bien décidé à les croquer.

Mais tel est pris qui croyait prendre et le loup se retrouva plongé

dans une marmite d'eau bouillante.

Il était une fois trois petits cochons à la queue en tire-bouchon qui dirent un jour à leur maman :

– Nous voulons vivre notre vie.
Nous sommes assez grands maintenant.

– Bâtissez votre maison, les enfants, leur répondit-elle. Mais prenez garde qu'elle soit bien solide pour que le grand méchant loup ne puisse y entrer et vous dévorer.

– Le loup ? dirent les petits cochons. Pourquoi veux-tu que le loup vienne nous chercher ?

– Il faut être prudent, le loup est partout, répondit la maman en les embrassant.
Ils s'en allèrent donc.

Le premier petit cochon rencontra un paysan qui portait de la paille.

– Puis-je avoir un peu de paille pour bâtir ma maison ? demanda-t-il.

Le paysan lui donna de la paille. Et le petit cochon bâtit bien vite sa maison.

Le deuxième petit cochon rencontra un homme avec un gros fagot de bois.

– Puis-je avoir un peu de bois pour bâtir ma maison ? demanda-t-il. L'homme lui donna du bois. Et le petit cochon bâtit bien vite sa maison.

Le troisième petit cochon rencontra un homme qui transportait des briques.

– S'il vous plaît, puis-je avoir des briques pour bâtir
ma maison ? lui demanda le petit cochon.
L'homme lui donna des briques.
Et le petit cochon bâtit une maison bien solide avec une
belle cheminée près de laquelle on pouvait s'asseoir.

Un jour, un loup affamé sortit du bois et frappa à la porte de la maison de paille.

– Petit cochon, laisse-moi entrer !

Mais le petit cochon répondit tout apeuré :

– Non, non, par la barbiche de mon menton !

Alors, le loup répliqua :

– Eh bien, je vais souffler et ta maison s'envolera.

Le loup gonfla ses joues et souffla, souffla de toutes ses forces et la maison de paille s'envola dans les airs.

Et le petit cochon courut se réfugier dans la maison de bois de son frère.

À peine celui-ci eut-il refermé la porte que le loup frappa.

– Gentils petits cochons, laissez-moi entrer.
Mais les deux frères crièrent tout apeurés :
– Non, non, par la barbiche de nos mentons !
Alors, le loup répliqua :
– Eh bien, je vais souffler et votre maison s'écroulera.
Le loup gonfla ses joues et souffla, souffla de toutes ses forces mais
la maison de bois résista. Alors, le loup souffla et gronda
si fort que la maison de bois s'écroula.

– Au secours ! crièrent les deux petits cochons.

Ils prirent leurs jambes à leur cou et ils filèrent jusqu'à la maison de briques de leur frère.

– Entrez vite, mes frères. Ici vous ne risquez rien ! leur dit-il.

Bientôt la voix du loup résonna :

– Gentils petits cochons, laissez-moi entrer.

Les trois petits cochons répondirent :

– Non, non, par la barbiche de nos mentons !

Alors le loup hurla :

– Vous allez voir, je vais souffler sur votre maison et elle s'effondrera !

Le loup souffla et souffla et souffla encore et il gronda, et gronda et gronda encore, mais la maison de briques ne bougea pas.

Il se cogna la tête contre les murs et se blessa. Puis il s'enfuit se cacher dans la forêt, hurlant de douleur. Il était très en colère.

– J'ai si faim, je dois attraper ces cochons, grondait-il.

14

Quelques jours plus tard, les petits cochons virent le loup
arriver avec une échelle.

– J'aurais dû y penser plus tôt, dit le loup en appuyant
l'échelle contre le mur.

Mais le troisième petit cochon, qui était très rusé, dit à ses
frères :

– Vite, aidez-moi à ranimer le feu. Nous y poserons le grand
chaudron rempli d'eau.

Les trois petits frères s'activèrent si bien que lorsque le loup
descendit dans la cheminée, ils soulevèrent le couvercle du
chaudron et le loup tomba tout droit dans l'eau bouillante.

Il poussa un hurlement si terrible qu'on l'entendit à
des lieues et des lieues à la ronde. Le loup repartit comme
il était venu, par la cheminée, et on n'entendit plus jamais
parler de lui.

Les petits cochons vécurent en paix et s'amusèrent tous les
trois.

Le Petit Chaperon rouge

Charles Perrault

On voit ici que de jeunes enfants, surtout des jeunes filles gracieuses, ont tort d'écouter toutes sortes de gens, car il se peut qu'un loup doucereux et rusé ne pense qu'à les dévorer.

Il était une fois, dans un village, une petite fille, la plus jolie qu'on ait vue. Sa mère en était folle, et sa grand-mère plus folle encore.

Celle-ci lui fit coudre un petit bonnet rouge qui lui seyait si bien que, partout, on l'appelait le Petit Chaperon rouge.

Un jour, sa mère, ayant cuit des galettes, lui dit :

— Va voir comment se porte ta grand-mère, car elle est malade. Porte-lui ces galettes et ce petit pot de beurre.

Le Petit Chaperon rouge partit aussitôt pour aller chez sa grand-mère qui demeurait dans un village de l'autre côté de la forêt.

— Surtout ne t'attarde pas en chemin et ne parle à personne, lui recommanda sa maman.

En passant par le bois, elle rencontra
compère le loup qui lui demanda où elle allait.
La petite lui dit :
– Je vais voir ma grand-mère, et lui porter des galettes
et un petit pot de beurre que ma maman lui envoie.
– Demeure-t-elle loin d'ici ? lui demanda le loup.
– Oh oui ! dit le Petit Chaperon rouge, c'est par-delà le moulin que
vous voyez là-bas, à la première maison du village.
– Eh bien ! dit le loup, je vais aller la voir aussi. Je vais prendre par
ce chemin-ci, et toi, tu suivras ce chemin-là, et nous verrons qui y
arrivera le plus vite.
Le loup, qui avait choisi le chemin le plus court, courut de toutes
ses forces. La fillette, qui empruntait le chemin le plus long, s'amusa à
cueillir des noisettes, à courir après des papillons, et à faire des bouquets
avec des petites fleurs qu'elle trouvait.

Le loup ne fut pas long à arriver à la maison de la grand-mère.
Il frappa à la porte. Toc, toc.
– Qui est là ? répondit une voix de l'intérieur.
– C'est votre petite-fille, le Petit Chaperon rouge, dit le loup
en changeant sa voix. Je vous apporte des galettes et un petit pot
de beurre que maman vous envoie.
La bonne grand-mère, qui était couchée dans son lit, car elle était un peu
malade, lui cria :

– Tire la chevillette et la bobinette cherra.
Le loup tira la chevillette et la porte s'ouvrit. À peine entré, il se jeta
sur la vieille femme et la dévora en un rien de temps car il y avait plus
de trois jours qu'il n'avait pas mangé. Ensuite, il ferma la porte. Il se mit à
chercher des vêtements dans l'armoire de la grand-mère, s'en vêtit et alla
se coucher à sa place en attendant le Petit Chaperon rouge.

La fillette arriva un peu plus tard et frappa à la porte. Toc, toc.

– Qui est là ? répondit le loup en adoucissant sa voix.

– C'est votre petite-fille, le Petit Chaperon rouge, qui vous apporte des galettes et un petit pot de beurre que maman vous envoie.

– Tire la chevillette et la bobinette cherra, répondit le loup.

Le Petit Chaperon rouge tira la chevillette et la porte s'ouvrit.

– Mets tes galettes et ton pot de beurre sur la huche et approche-toi, lui dit le loup en se cachant sous la couverture.

La petite s'avança et lui dit :

– Grand-mère, que vous avez de grandes oreilles !

– C'est pour mieux t'écouter, mon enfant.

– Grand-mère, que vous avez de grands yeux !

– C'est pour mieux te voir, mon enfant.

– Grand-mère, que vous avez de grandes dents !

– C'est pour mieux te manger...

Et, en disant ces mots, le méchant loup se jeta sur le Petit Chaperon rouge et l'avala.

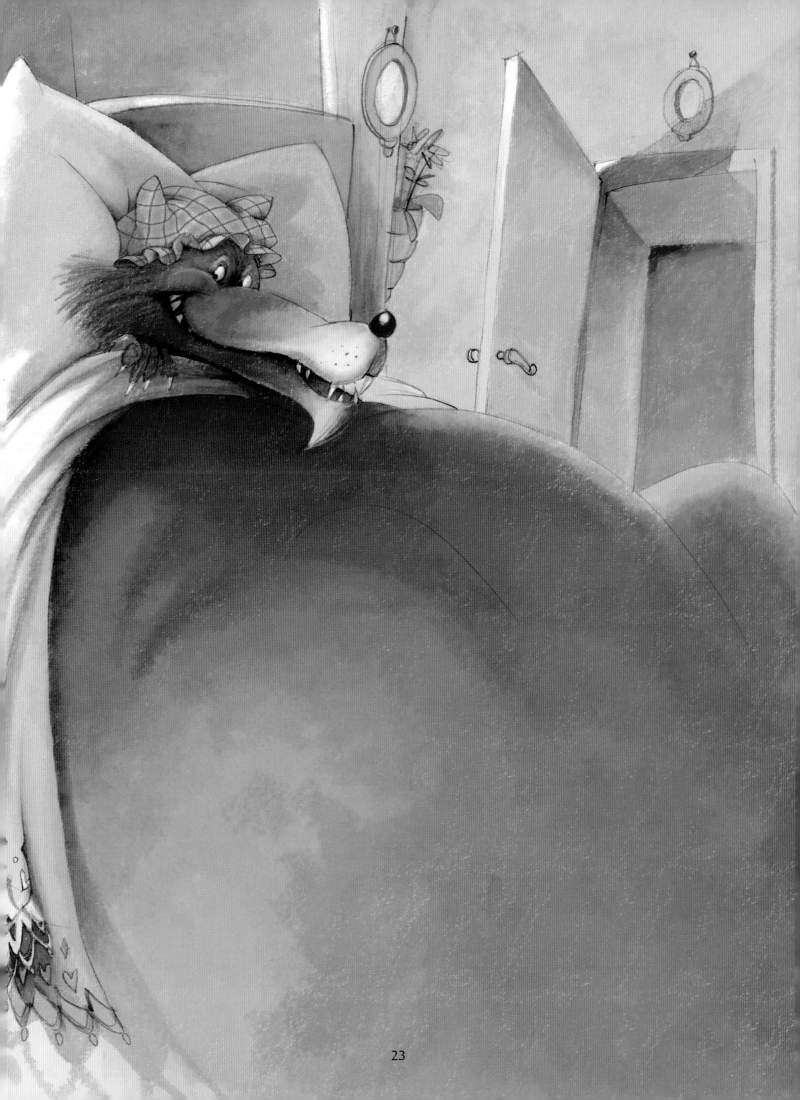

23

Repu, le loup s'endormit et se mit à ronfler si fort que toute
la maisonnette en trembla.

Un bûcheron qui passait par là s'inquiéta :

– C'est étrange, je n'ai jamais entendu la grand-mère ronfler si fort.

Il entra tout doucement et aperçut, dans le lit de la vieille femme,
le loup, le ventre bien tendu, profondément endormi.

D'un grand coup de couteau, il lui ouvrit les entrailles
et y découvrit le Petit Chaperon rouge et sa grand-mère,
bien vivantes. Le loup avait une si grande faim qu'il
les avait avalées tout rond sans prendre la peine
de les croquer.

La fillette et sa grand-mère s'embrassèrent
et le Petit Chaperon rouge promit que,
plus jamais, elle ne s'attarderait
en chemin.

Le Vilain Petit Canard

Hans Christian Andersen

L'histoire de ce petit canard nous enseigne qu'il n'est pas digne de se moquer des autres et de les rejeter. Celui qui semble différent pourrait bien se révéler à nos yeux sous un autre jour...

C'était le printemps. Au bord d'un étang sauvage, une cane s'était installée pour couver. Elle commençait à s'ennuyer beaucoup. C'était bien long. Enfin, un œuf après l'autre craqua. À chaque «crac ! crac !» un petit sortait la tête de sa coquille.

– Coin-coin, disait la cane en guise de bienvenue.

«Pip ! pip !» lui répondaient les canetons en s'agitant.

– Êtes-vous tous là enfin ? Non, le plus grand œuf n'est pas encore éclos.

Enfin, un craquement se fit entendre et «pip ! pip !» un caneton tout gris sortit de l'œuf. La cane le regarda avec étonnement : il était si gros !
– En voilà un vilain caneton, se dit-elle. Il ne ressemble pas aux autres.
Le lendemain, il faisait un temps splendide et la cane - plouf ! - sauta dans l'eau et appela ses petits.
Les canetons plongèrent l'un après l'autre. Ils barbotaient gentiment, même le caneton gris si laid nageait avec les autres.
– Finalement, à bien le regarder, dit la cane, il n'est pas si laid. Il se tient bien droit et sait bien se servir de ses pattes. Coin-coin ! Suivez-moi, mes petits, que je vous présente à la vieille cane. Allons, dépêchez-vous, mes canetons, ajouta la mère.

– Vous avez de beaux enfants, la mère, lui
dit la vieille cane. Sauf celui-là, il n'est
guère réussi. Si seulement vous pouviez
le refaire…
– Il n'est certes pas beau, mais il est sage,
répondit la mère, et il nage aussi joliment
que les autres. Et, selon moi, dit-elle encore,
il embellira avec le temps. Il est resté trop
longtemps dans son œuf, voilà pourquoi il
n'a pas la taille convenable.

Mais le vilain caneton était la risée de toute la cour des canards. Il était pourchassé par tous les volatiles, les poules le bousculaient et même ses frères et sœurs étaient méchants avec lui.

– Je suis si laid que je leur fais peur, pensa-t-il en fermant les yeux.

Alors, il décida de partir. Il s'envola par-dessus la haie et s'éloigna jusqu'au grand marais, là où vivaient les canards sauvages. Il tombait de fatigue et de chagrin et il resta là toute la nuit.

Au matin, les canards sauvages, voyant ce nouvel arrivant, s'écrièrent :

– Qu'est-ce que c'est celui-là ? Tu es affreux, mais cela nous est bien égal.

Il resta là deux jours, se cachant dans les roseaux.

Mais, un matin, des chasseurs cernèrent le marais et des coups de fusil claquèrent. Toute la troupe s'envola à tire-d'aile.

Le pauvre caneton, épouvanté, s'enfuit à travers champs, malgré le vent qui l'empêchait presque d'avancer.

Vers le soir, il atteignit une pauvre masure.
Il se faufila à l'intérieur par une fente de la
porte. Une vieille paysanne habitait là avec son
chat et une poule. Au matin, ceux-ci remarquèrent
l'intrus. Le caneton fut admis dans la maisonnée,
mais, au bout de trois semaines, il n'y tint plus :
il avait envie d'air frais, de soleil, il voulait glisser sur l'eau.
Il en parla à la poule :
– Je vais m'en aller dans le vaste monde.
– Bonne chance, lui dit la poule.
Et le caneton partit. Il nagea sur l'eau, il plongea, mais tous les animaux
le dédaignaient à cause de sa laideur.
L'automne arriva. Un soir, dans la lumière d'un superbe coucher de soleil,
survint une volée de grands oiseaux.

Jamais le caneton n'en avait vu de si beaux, d'une blancheur si immaculée, avec de longs cous ondulants. C'étaient des cygnes. Soudain, en poussant des cris étranges, ils déployèrent leurs grandes ailes et s'envolèrent vers des contrées plus chaudes. Le vilain petit caneton était bouleversé. Jamais il ne pourrait oublier ces oiseaux merveilleux ! Il ne connaissait pas leur nom, mais il les aimait comme jamais il n'avait aimé personne.

Il serait trop triste de raconter toutes les peines qu'il dut endurer pendant ce long hiver. Pourtant, enfin, les beaux jours revinrent. C'était le printemps.
Un matin, sortant de derrière les roseaux, s'avancèrent trois beaux cygnes qui nageaient en battant des ailes. Il reconnut les superbes oiseaux.

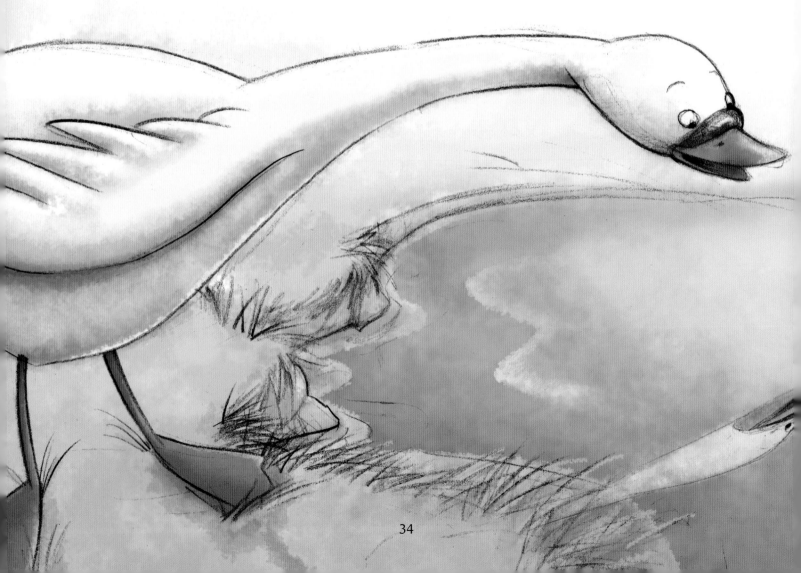

Ceux-ci vinrent à sa rencontre amicalement et il inclina la tête en signe d'admiration. Alors il vit son image se reflétant dans l'eau claire et il en fut émerveillé : ce n'était plus celle d'un oiseau gris, gauche et vilain, mais celle d'un cygne majestueux.

Il venait de retrouver sa famille ! Les grands cygnes blancs nageaient autour de lui et le caressaient de leur bec.

Des enfants approchaient, jetant du pain et des graines. Et tous criaient :

– Il y en a un nouveau. Oh ! C'est le plus beau et le plus gracieux !

Il était tout confus notre petit cygne. Il n'y a pas si longtemps, il était pourchassé et détesté…

Le soleil étincelait, l'air embaumait le lilas, alors il gonfla ses plumes, tendit son cou flexible vers le ciel et cria :

– Aurais-je pu rêver pareil bonheur quand je n'étais que le vilain petit canard !

LE CHAT BOTTÉ

Charles Perrault

Voici l'histoire d'un simple chat qui fit la fortune de son maître
dont il était le seul héritage. Avec astuce et ruse, il lui procura
un château, la richesse et l'amour d'une princesse.

Il était une fois un pauvre meunier qui avait trois fils. À sa mort, il ne laissa à ses enfants que son moulin, son âne et son chat. Le partage fut vite fait. L'aîné eut le moulin, le deuxième l'âne et le plus jeune le chat. Ce dernier ne pouvait se consoler d'avoir un si pauvre lot.

– Mes frères pourront gagner leur vie honnêtement en se mettant ensemble, soupira-t-il. Mais moi, que vais-je devenir ?

À ces paroles, le chat dressa l'oreille et dit d'un air sérieux :

– Ne vous affligez point, mon maître. Donnez-moi un sac de toile et une paire de bottes. Vous verrez, vous ne serez pas déçu.

Le garçon le regarda d'un air perplexe. Bah ! Que risquait-il ?

Le chat se botta et accrocha son sac en bandoulière, puis il s'en alla dans la garenne. Il ne tarda pas à piéger dans son sac un jeune lapin qu'il tua sans pitié. Il se rendit chez le roi et lui demanda audience. Entré dans les appartements du souverain, il fit une grande révérence et lui dit :

– Voici, Sire, un lapin de garenne que M. le marquis de Carabas (c'était le nom qui lui vint à l'esprit pour nommer son maître) m'a chargé de vous porter de sa part.

– Dis à ton maître, répondit le roi, que je le remercie et qu'il me fait plaisir.

Quelques jours plus tard, le chat retourna chasser. Il se cacha dans un champ de blé et ne tarda pas à capturer dans son sac deux belles perdrix. Il alla ensuite les offrir au roi, comme il l'avait fait avec le lapin.

Il continua ainsi pendant deux ou trois mois à porter de temps en temps au roi le gibier de la chasse du marquis de Carabas. Un jour, le chat apprit que le roi devait aller se promener au bord de la rivière avec sa fille, une princesse aussi belle que le jour. Il dit à son maître :

– Si vous suivez mon conseil, votre fortune est faite : allez vous baigner dans la rivière près du petit pont et laissez-moi faire.

Le garçon fit ce que son chat lui conseillait, sans comprendre.

Au moment où le carrosse du roi passa, le chat se mit à hurler :

– Au secours, le marquis de Carabas se noie ! Au secours !

À ces cris, le roi mit la tête à la portière et, reconnaissant le chat qui lui avait tant de fois porté du gibier, il ordonna à ses gardes qu'on allât vite au secours du marquis de Carabas.

Alors qu'on retirait le pauvre jeune homme de la rivière, le chat s'approcha du carrosse et raconta au roi que, pendant que son maître se baignait, des voleurs avaient emporté tous ses habits.

Le roi envoya aussitôt les officiers de sa garde-robe quérir un des plus beaux habits pour le marquis de Carabas. Les vêtements lui allaient si bien, ils rehaussaient tant sa beauté et son élégance, que la fille du roi le trouva fort à son goût.

Le roi l'invita à finir la promenade en leur compagnie.

Le chat devança le carrosse. Il vit un champ que des paysans fauchaient :
– Bonnes gens, dites au roi que ce pré appartient au marquis de Carabas, dit-il.
Arrivant peu de temps après, le roi ne manqua pas de demander aux paysans à qui appartenait le pré qu'ils fauchaient.
– C'est à monsieur le marquis de Carabas, dirent-ils tous ensemble.
– Vous avez là un bel héritage, dit le roi au jeune homme.
Le roi s'en réjouit et ce fut ainsi avec toutes les personnes qu'ils rencontrèrent. Le roi s'étonnait de la fortune de ce marquis.
Le chat botté arriva enfin dans un beau château dont le maître était un ogre, le plus riche qu'on ait jamais vu, car toutes les terres que le roi avait traversées faisaient partie de son domaine.
Le chat, qui avait pris soin de s'informer sur le propriétaire des lieux, demanda à lui parler.

– On m'a assuré que vous aviez le don de vous transformer et que vous pouviez même vous changer en lion ou en éléphant ! dit le chat.

– Tout cela est vrai, répondit l'ogre. Et je vais vous le prouver !

Alors, l'ogre se métamorphosa en lion gigantesque.

– On m'a aussi assuré que vous aviez le pouvoir de devenir aussi petit qu'une souris ou un rat. C'est impossible, n'est-ce pas ?

– Impossible ? reprit l'ogre. Voyez donc !

Et, en même temps, il se changea en une souris qui se mit à courir sur le plancher. Le chat se jeta alors sur elle et la mangea.

Le roi arriva au château. Le chat se précipita au-devant et dit :

– Majesté, bienvenue chez le marquis de Carabas.

– Comment ! s'écria le roi. Ce château est aussi à vous ! Je crois que vous plaisez beaucoup à ma fille... poursuivit-il. Voulez-vous devenir mon gendre ?

Le marquis prit la main de la princesse et ils suivirent le roi dans le château.

Le marquis, faisant de grandes révérences, accepta l'honneur que lui faisait le roi et épousa la princesse le jour même.

Le chat devint grand seigneur et ne courut plus après les souris que pour se divertir.

Les Aventures de Pinocchio

Carlo Collodi

Bien des leçons sont nécessaires aux enfants désobéissants...

Pinocchio empruntera quelques chemins de traverse avant

de devenir un vrai petit garçon, sage et raisonnable.

Il était une fois un vieux tailleur de bois nommé Geppetto, qui rêvait de confectionner une marionnette sachant danser, chanter et faire des sauts périlleux. Il l'appellerait Pinocchio. Son ami, maître Cerise, venait de lui offrir une belle bûche et le vieil homme se mit aussitôt à l'ouvrage.

Imaginez sa stupeur lorsqu'il vit que les yeux du pantin remuaient ! Il était vivant, bien vivant ! Son rêve devenait réalité. Aussi, tout heureux, l'artisan s'empressa-t-il de sculpter un cou, des épaules et tout le reste du corps.

À peine achevé, Pinocchio se jeta dans les bras de Geppetto et ils dansèrent de joie.

Dès le lendemain, Pinocchio prit le chemin des écoliers. Mais, en route, il fut attiré par un théâtre de marionnettes et il oublia bien vite ses bonnes résolutions. Une petite fée bleue apparut alors.

– Pinocchio, tu as promis à ton papa d'aller à l'école, lui rappela-t-elle.
Mais Pinocchio s'installait déjà parmi les spectateurs et il riait si fort que le marionnettiste le remarqua. Celui-ci vit tout le profit qu'il pourrait tirer d'un pantin vivant. Et c'est ainsi que Pinocchio se retrouva enfermé dans une cage. La fée bleue revint.

– Pinocchio, pourquoi n'es-tu pas allé à l'école, ce matin ? dit-elle.
– Eh bien, deux hommes très très grands m'ont empêché…
Pendant qu'il débitait ses mensonges, le nez du pantin s'allongea… Ils m'ont forcé à entrer dans le théâtre, continuait-il.
Son nez s'allongea encore. La bonne fée se laissa pourtant attendrir et le libéra à la condition qu'il retourne à l'école et ne mente plus.

Pinocchio se dirigea gaiement vers l'école. Il n'avait marché que quelques minutes lorsqu'il aperçut une bourse cachée derrière une pierre : elle contenait cinq pièces d'or !

– Quelle aubaine ! se réjouit le pantin. Je vais les porter à mon papa.

Un renard et un chat, qui le rencontrèrent si joyeux, l'interrogèrent :

– Quelle est la raison de ta gaieté, mon ami ? dit le renard.

– Je suis riche ! Regardez ces belles pièces d'or, répondit Pinocchio.

Le renard et le chat, qui étaient deux gredins, se regardèrent.

– Tes pièces pourraient se multiplier, dit le chat. Tu n'as qu'à nous suivre.

– Mais… comment est-ce possible ? demanda Pinocchio.

– Accompagne-nous au pays des Nigauds. Là, tu enterreras une pièce dans le champ des Miracles, expliqua le renard, et, le lendemain, tu trouveras un bel arbre chargé d'or !

– C'est incroyable ! s'écria Pinocchio.

Il suivit les deux fripouilles. Un oiseau perché dans une haie lui dit :

– N'écoute pas les conseils de ces coquins. Tu t'en repentiras.

– C'est que… nous allons à l'école, mentit le pantin dont le nez s'allongea.

Pinocchio enterra ses cinq pièces d'or et ils repartirent tous les trois passer la nuit dans une auberge. Le lendemain matin, les deux compères avaient disparu. Pinocchio courut tout joyeux vers le champ des Miracles, pressé de découvrir l'arbre couvert d'or.

Mais là il ne vit ni arbre… ni pièces d'or ! Et il se rappela la mise en garde de l'oiseau.

De retour chez lui, Pinocchio trouva la maison vide, Geppetto était parti à sa recherche sur l'océan. Le pantin était si triste qu'un garçon lui parla du pays des Joujoux, un pays où l'on ne travaille pas et où l'on s'amuse du matin au soir. Pinocchio se laissa tenter et s'embarqua avec une centaine d'autres garnements pour ce pays merveilleux. Là, on jouait à colin-maillard, à la marelle ou aux osselets, on chantait, on braillait, on sifflait… Pinocchio y était heureux. Mais, un matin, il eut une bien mauvaise surprise : une paire de grandes oreilles, une queue et des sabots avaient poussé : il se transformait en âne ! Il fut alors vendu à un cirque. Il apprit à saluer, à danser la polka et à se tenir sur ses pattes arrière. Or, un jour, le petit âne se cassa une patte. Il ne servait plus à rien et pour s'en débarrasser, son maître le jeta dans la mer.

Dès qu'il fut dans l'eau, il retrouva sa forme de pantin.
Au même moment, la tête d'un requin monstrueux surgit des flots, la bouche ouverte, grande comme un gouffre et armée de dents terrifiantes. Le monstre engloutit Pinocchio d'un coup !

Comme il faisait noir dans le ventre du requin ! On distinguait, très loin, une petite lueur et il se dirigea à tâtons dans sa direction. Il vit un petit vieux aux cheveux blancs.

– Mon petit papa ! Enfin, je vous retrouve ! s'exclama Pinocchio.

– Pinocchio ! C'est bien toi, mon enfant ? s'écria à son tour Geppetto.

Ils se jetèrent dans les bras l'un de l'autre et pleurèrent de joie.

– Il n'y a pas de temps à perdre, dit le pantin, il faut fuir. Venez, papa.

Ils avancèrent vers la gueule du requin et profitèrent d'un éternuement du monstre pour se jeter dans la mer. Geppetto s'accrocha au dos de Pinocchio qui nagea de toutes ses forces. Le jour se levait quand ils atteignirent le rivage. Ils se réfugièrent dans une cabane et s'endormirent tous les deux, épuisés.

Pinocchio rêva de la fée bleue.

Lorsqu'il se réveilla, Pinocchio ouvrit des yeux tout ronds : il était devenu un vrai petit garçon ! À ses côtés, le vieux Geppetto chantait et riait.

La cabane s'était transformée en une jolie petite maison.

– Comment expliquer ce prodige, papa ? demanda Pinocchio.

– Vois-tu, lorsque des enfants désobéissants deviennent sages, ils ont le pouvoir de tout changer, répondit en souriant Geppetto.

– Comme je suis heureux d'être devenu un petit garçon bien élevé ! s'écria Pinocchio en se jetant dans les bras de son papa.

CENDRILLON

Charles Perrault

❧

La beauté est un trésor. Mais un cœur pur est sans prix et vaut bien plus encore. C'est ce que nous montre l'histoire de l'humble Cendrillon qui devint reine par les bienfaits de sa marraine la fée.

Il était une fois un gentilhomme qui épousa en secondes noces une femme, la plus hautaine et la plus fière qu'on eut jamais vue. Elle avait deux filles qui lui ressemblaient en toutes choses. Le mari de son côté avait une jeune fille d'une douceur et d'une bonté sans exemple. Les noces ne furent pas plus tôt faites que la belle-mère laissa éclater sa mauvaise humeur. Elle chargea la jeune enfant des plus basses besognes de la maison. C'est elle qui nettoyait la vaisselle et les escaliers, qui frottait la chambre de la marâtre et de ses filles. Elle dormait tout en haut de la maison, dans un grenier sur une méchante paillasse alors que les deux sœurs avaient des chambres parquetées et meublées d'un confortable lit.

56

La pauvre fille souffrait tout avec patience, et n'osait s'en plaindre, même à son père. Lorsqu'elle avait fini son ouvrage, elle allait s'asseoir au coin de la cheminée, dans les cendres, ce qui lui valut le nom de Cendrillon. Cependant, Cendrillon, avec ses misérables habits, était cent fois plus belle que ses sœurs, qui, elles, étaient vêtues magnifiquement.

Un jour, le fils du roi donna un bal et y invita toutes les personnes de qualité : nos deux demoiselles furent donc conviées.

– Moi, dit l'aînée, je mettrai mon habit de velours rouge et mon col en dentelle.

– Moi, dit la cadette, je mettrai mon manteau à fleurs d'or et mon collier de diamants.

Pour les coiffures, elles appelèrent leur sœur Cendrillon car elle avait bon goût. Une autre les aurait coiffées de travers, mais elle était bonne et elle les coiffa parfaitement bien.

Lorsqu'elles furent prêtes, Cendrillon les regarda partir et sitôt que le carrosse fut hors de vue, elle se mit à pleurer. Sa marraine, qui était une fée, apparut et, la découvrant tout en larmes, lui dit :

– Tu voudrais aller au bal, n'est-ce pas ?

– Hélas, oui, soupira Cendrillon.

– Eh bien, je t'y ferai aller.

– Va dans le jardin et apporte-moi une citrouille, lui ordonna la fée.
Cendrillon alla cueillir la plus belle qu'elle pût trouver. La marraine
frappa la citrouille de sa baguette magique, et elle fut changée en
un beau carrosse tout doré. La fée alla ensuite chercher six souris dans
la souricière. D'un coup de baguette, les petites bêtes furent transformées
en un bel attelage de six chevaux, à la robe gris souris.
– Il nous faut un cocher, dit la fée. Un rat fera bien l'affaire.
Et aussitôt, un gros rat fut changé en cocher imposant.
Enfin, la fée effleura de sa baguette les vilains habits de sa filleule et
ceux-ci se transformèrent en une splendide robe brochée d'or et d'argent.
Elle lui donna ensuite une paire de pantoufles de vair, les plus jolies du
monde et avertit Cendrillon que l'enchantement cesserait au douzième
coup de minuit. À cet instant précis, tout redeviendrait comme avant.
Quand elle arriva au palais, on avertit le fils du roi qu'une princesse
inconnue venait d'arriver. Le prince se précipita pour l'accueillir
et l'escorta jusqu'à la salle de bal. À leur entrée, un grand
silence s'installa, on cessa de danser et les violons se
turent. On n'entendait qu'un bruit confus :
– Ah ! Qu'elle est belle !

Le fils du roi la conduisit vers la table du banquet et la mit à la place d'honneur. À la fin du repas, il l'invita à danser : elle évoluait sur la piste avec tant de grâce qu'on l'admira encore davantage.

Cendrillon s'amusait tant qu'elle oublia les conseils de sa marraine. Lorsqu'elle entendit sonner le premier coup de minuit, elle se leva et s'enfuit aussi légèrement que l'aurait fait une biche. Le prince la suivit, mais il ne put l'attraper. Dans sa course, elle avait perdu l'une de ses pantoufles de vair que le prince ramassa délicatement, se demandant comment il pourrait retrouver cette charmante princesse.

De retour du bal, les deux sœurs racontèrent à Cendrillon qu'une princesse magnifique avait ébloui le prince. Lorsque la belle avait disparu, le prince avait gardé une des pantoufles qu'elle avait perdue.

Quelques jours plus tard, le prince proclama qu'il épouserait celle dont le pied siérait à cette pantoufle. Alors les princesses, les duchesses, puis toutes les dames de la cour l'essayèrent, mais en vain.

Enfin vint le tour des deux sœurs qui firent tout leur possible pour mettre le pied dans la pantoufle, mais elles ne purent.

Cendrillon reconnut sa pantoufle et voulut l'essayer à son tour. Ses sœurs
éclatèrent de rire et se moquèrent d'elle. Le gentilhomme chargé de l'essai
de la chaussure, trouvant Cendrillon fort belle, répondit qu'il avait ordre
de l'essayer à toutes les jeunes filles. Il la fit asseoir et, approchant
la pantoufle de son petit pied, vit qu'il y entrait sans peine. L'étonnement
des deux sœurs fut grand, mais plus encore lorsque Cendrillon tira de
sa poche l'autre petite pantoufle qu'elle mit à son pied. Là-dessus arriva
la marraine qui, d'un coup de baguette sur les habits de sa filleule,
les rendit plus magnifiques que les autres.
Alors les deux sœurs reconnurent la belle inconnue. Elles se jetèrent
à ses pieds pour lui demander pardon de toutes leurs méchancetés.
Cendrillon leur pardonna de bon cœur. On la mena chez le prince qui la
trouva encore plus belle que dans son souvenir. Quelques jours plus tard,
leur mariage fut célébré avec grand faste. Cendrillon, qui était aussi bonne
que belle, fit loger ses sœurs au palais et les maria le jour même à deux
grands seigneurs de la cour.

BLANCHE-NEIGE ET LES SEPT NAINS

Jacob et Wilhelm Grimm

❦

La jalousie est mauvaise conseillère tandis qu'un cœur pur

et innocent trouvera le bonheur. Écoutez donc l'histoire

de Blanche-Neige...

Il était une fois une reine qui cousait à sa fenêtre. Elle regardait les flocons de neige qui voletaient, formant un léger duvet sur le sol. Soudain, elle se piqua le doigt et trois gouttes de sang tombèrent sur la neige. C'était si beau et la reine songea :

– Si je pouvais avoir un enfant à la peau aussi blanche que la neige, aux lèvres aussi rouges que le sang et aux cheveux aussi noirs que le bois de cette fenêtre !

Peu de temps après, elle mit au monde une petite fille semblable en tous points à ses vœux. On l'appela Blanche-Neige. Malheureusement, la reine mourut en lui donnant le jour.

Au bout d'un an, le roi épousa en secondes noces une femme qui était très belle, mais si fière et tellement orgueilleuse de sa beauté qu'elle ne pouvait supporter qu'une autre la surpassât. Elle possédait un miroir magique.

– Miroir, gentil miroir, dis-moi qui est la plus belle femme du pays ?

– C'est vous, ma reine, la plus belle du royaume, répondait le miroir.

Cependant, Blanche-Neige grandissait et devenait de plus en plus belle, si bien qu'un jour le miroir répondit à la question de la reine :

– Dame la reine, Blanche-Neige est mille fois plus belle que vous.

La reine en devint verte de jalousie et elle se mit à haïr la jeune fille.

Quelques jours plus tard, elle fit venir un chasseur et lui ordonna :

– Emmène Blanche-Neige dans la forêt, et rapporte-moi son cœur.

Le chasseur emmena la princesse dans la forêt. Mais il s'apitoya devant sa beauté et ne put accomplir son horrible mission :

– Sauve-toi, pauvre enfant, et ne reviens jamais au château !

Comme un marcassin passait par là, il l'abattit et rapporta son cœur à la reine.

Blanche-Neige resta seule au milieu de la forêt. Elle se mit à courir, courir, s'écorchant aux épines et se blessant les pieds sur les cailloux pointus. Enfin, elle aperçut une maisonnette. Elle y entra. Tout était si petit, si propre et si charmant dans cette maison ! Une petite table était dressée pour sept convives. Sept lits s'alignaient côte à côte le long du mur. Blanche-Neige, épuisée, se coucha dans un des lits et s'endormit profondément.

Il faisait nuit noire quand les maîtres des lieux arrivèrent. C'étaient sept nains qui travaillaient dans une mine au cœur de la montagne. Ils virent Blanche-Neige couchée dans un des lits.

– Mon Dieu ! Que cette enfant est jolie, s'écrièrent-ils tous.

Elle se réveilla. Les sept nains se montrèrent si amicaux que la jeune fille leur confia sa triste histoire. Alors, ils lui proposèrent de rester auprès d'eux et de prendre soin de leur ménage. Blanche-Neige accepta avec joie.

La reine, dans son château, interrogea à nouveau son miroir :

– Miroir, gentil miroir, dis-moi qui est la plus belle femme du pays ?

– Dame la reine, Blanche-Neige, auprès des sept nains, est la plus belle, dit le miroir.

Alors, la méchante femme trembla de colère et de jalousie : il fallait que Blanche-Neige disparaisse à tout jamais. Elle se rendit dans une chambre secrète et prépara son maléfice, une pomme qu'elle empoisonna. Il suffisait de mordre dedans pour mourir sur-le-champ.

La reine se déguisa en vieille paysanne et se rendit chez les sept nains.

La jeune fille causa avec la vieille qui lui offrit la pomme…

À peine Blanche-Neige l'eut-elle croquée qu'elle tomba inanimée sur le sol.

Dès son retour au château, la reine demanda au miroir :

– Miroir, gentil miroir, dis-moi qui est la plus belle femme du pays ?

Enfin, le miroir répondit :

– C'est vous, ma reine, la plus belle du royaume.

73

À leur retour, les nains trouvèrent Blanche-Neige sans vie. Ils la pleurèrent longtemps. Ils lui fabriquèrent alors un cercueil de verre qu'ils portèrent en haut de la montagne. Et ils veillèrent sur elle.

Longtemps, Blanche-Neige resta là, ayant l'air endormie.
Un jour, un prince égaré dans la forêt la vit. Les nains lui racontèrent son histoire. Ému, il demanda à embrasser la jeune fille. Blanche-Neige ouvrit alors les yeux et se redressa.
– Mais où suis-je ? demanda-t-elle.
– Vous êtes près de moi, s'empressa de répondre le prince.
Dès que je vous ai vue, je suis tombé éperdument amoureux de vous. Voulez-vous m'épouser ?
Blanche-Neige accepta et leurs noces furent célébrées avec magnificence et splendeur. La reine fut invitée au mariage, mais, dès qu'elle interrogea son miroir, celui-ci répondit :
– Dame la reine, Blanche-Neige, la jeune souveraine, est la plus belle.
Alors, un affreux juron échappa à l'horrible femme qui fut prise d'un tel effroi qu'elle en mourut.

LA BELLE
AU BOIS DORMANT

Charles Perrault

❧

Attendre quelque temps pour trouver un époux, la chose est assez naturelle. Mais l'attendre cent ans en dormant, voilà qui est plus étonnant...

Il était une fois un roi et une reine qui étaient très tristes de ne pas avoir d'enfants. Un jour, enfin, la reine mit au monde une fille. Tout à leur bonheur, le roi et la reine organisèrent un beau baptême et donnèrent pour marraines à la petite princesse les sept fées du royaume, afin que chacune d'elles lui fasse un don, comme c'était la coutume en ce temps-là. Après les cérémonies du baptême, tous les invités revinrent au palais, où était dressé un grand festin.

Comme chacun prenait sa place à table, une vieille fée, que l'on avait oublié d'inviter, entra. La vieille femme grommela quelques menaces entre ses dents. Une des jeunes fées qui se trouvait auprès d'elle, craignant quelque mauvais tour de sa part, alla se cacher derrière une tapisserie. Les fées commencèrent à faire leurs dons. Elles lui offrirent la beauté, l'intelligence, ou encore une grâce admirable. La quatrième lui promit qu'elle danserait à la perfection, la cinquième qu'elle chanterait comme un rossignol et la sixième qu'elle jouerait parfaitement de toutes sortes d'instruments. La vieille fée s'avança et prédit, d'une voix menaçante, que la princesse se piquerait la main d'un fuseau et qu'elle en mourrait.

C'est alors que la jeune fée sortit de derrière la tapisserie et dit :

– Ô mon roi, ô ma reine, votre fille ne mourra pas. La princesse se percera la main d'un fuseau, mais, au lieu d'en mourir, elle tombera dans un profond sommeil qui durera cent ans, au bout desquels le fils d'un roi viendra la réveiller.

Le roi fit brûler tous les fuseaux.

Quinze ou seize ans passèrent. Un jour, le roi et la reine se rendirent dans une de leurs demeures dans une région reculée du royaume. La jeune princesse s'aventura jusqu'en haut du donjon, où une bonne vieille était en train de filer sa quenouille. Celle-ci n'avait pas entendu parler des défenses que le roi avait faites de filer au fuseau.

– Que faites-vous là, madame ? demanda la princesse.

– Je file, ma belle enfant, répondit la vieille qui ne la connaissait pas.

– Ha ! Que c'est joli, reprit la princesse. Donnez, je vais essayer…

Hélas, tout à sa joie, la princesse toucha vivement le fuseau, s'en piqua la main et tomba évanouie. La bonne vieille cria : on accourut de tous côtés, on jeta de l'eau au visage de la princesse, on lui frappa dans les mains, mais rien n'y fit. Alors le roi fit installer sa fille dans le plus bel appartement du palais, sur un lit en broderie d'or et d'argent, et ordonna qu'on la laisse dormir jusqu'à ce qu'il soit temps pour elle de se réveiller.

La bonne fée qui avait sauvé la vie de la princesse arriva au château.
Elle pensa que, quand la princesse viendrait à se réveiller, elle
serait bien embarrassée toute seule dans ce vieux château.
Alors, elle toucha de sa baguette tout ce qu'elle trouva.
Gouvernantes, filles d'honneur, femmes de chambre,
maîtres d'hôtel, gentilshommes, officiers, cuisiniers
et marmitons, gardes, pages et valets, elle toucha tout
le monde y compris les chevaux dans les écuries et
même la petite chienne de la princesse qui s'était
couchée auprès d'elle sur son lit. Et ils s'endormirent
tous pour ne se réveiller qu'en même temps que leur
maîtresse afin d'être prêts à la servir quand elle en
aurait besoin : même les broches de perdrix et de
faisans qui cuisaient dans la cheminée s'endormirent,
ainsi que le feu.
Enfin, le roi et la reine, après avoir embrassé leur chère
enfant, sortirent du château et défendirent à quiconque
d'en approcher.

Cent ans s'écoulèrent. Le fils du roi qui régnait alors alla à la chasse par
là. Il aperçut au loin les tours d'un château entouré d'un grand bois fort
épais. Intrigué, le prince résolut de s'y rendre sur-le-champ. Le bois
semblait impénétrable, mais à peine s'avança-t-il, que les grands arbres,
les ronces et les épines s'écartèrent sur son passage. Il marcha vers
le château, rencontra des gardes endormis, l'arme sur l'épaule. Il traversa
plusieurs chambres où des dames et des gentilshommes dormaient, les
uns debout, les autres assis. Il entra enfin dans une chambre toute dorée.
Il découvrit la princesse endormie et s'émut de sa beauté resplendissante.
Instantanément, il en tomba amoureux. Il se mit à genoux auprès d'elle et
l'embrassa. Alors la princesse s'éveilla et lui demanda :
– Est-ce vous, mon prince ? Vous vous êtes bien fait attendre.
Le prince lui assura qu'il l'aimait déjà plus que lui-même et lui demanda
de l'épouser. Alors, partout dans le château, chacun s'éveilla de son long
sommeil et s'apprêta à servir la princesse et son fiancé.

RAIPONCE

Jacob et Wilhelm Grimm

Il est vain de vouloir retenir un oiseau captif,
l'amour triomphe malgré les peines et les tourments.
L'histoire de Raiponce l'illustre fort bien.

Un homme et sa femme attendaient un heureux événement. Un jour, la jeune femme vit dans le jardin voisin un massif de raiponces qui lui mirent l'eau à la bouche. Son envie de les manger en salade fut telle que son mari pénétra dans le jardin. Mal lui en prit ! Le jardin était celui d'une sorcière et celle-ci se tenait devant lui !

– Comment oses-tu t'introduire dans mon jardin ! gronda-t-elle.

Le pauvre homme, terrifié, expliqua la raison de sa présence.

– Si tu dis vrai, j'accepte de te donner toutes les raiponces que tu voudras. Seulement, en échange, tu me donneras l'enfant qui naîtra, répondit la sorcière, faisant taire sa fureur.

Quelques semaines
plus tard, une petite
fille naquit et la sorcière
vint réclamer son dû. Elle emmena
l'enfant et l'appela Raiponce.
La fillette grandit et devint très belle. Elle avait
de longs cheveux si soyeux qu'on aurait dit des fils
d'or. Lorsqu'elle eut douze ans, la sorcière l'enferma dans
une tour qui se dressait, sans escaliers ni porte, au milieu d'une
forêt. La seule ouverture était une minuscule fenêtre tout en haut.
Quand la sorcière voulait y entrer, elle criait :
– Raiponce, Raiponce, descends-moi tes cheveux.
Raiponce attachait alors sa natte à un crochet et la laissait se dérouler
telle une corde, si bien que la sorcière pouvait s'y hisser.
Les années passèrent. Pour tromper son ennui, Raiponce chantait.
Un jour, un prince chevauchant dans la forêt entendit son chant.
Il voulut rencontrer la jeune fille, mais ne trouva aucune entrée à la tour.
Chaque jour, il revenait écouter le chant de Raiponce. Enfin, caché
derrière un arbre, il découvrit la façon d'entrer.
– Voilà un escalier bien original, dit-il en voyant la sorcière se hisser.
Il faut que je tente ma chance, moi aussi.

Le lendemain, au crépuscule, il s'approcha de la tour et appela.
– Raiponce, Raiponce, descends-moi tes cheveux.
La natte se déroula et le prince monta. Raiponce prit peur en voyant un jeune homme pénétrer dans sa tour. Mais il lui raconta combien il avait été ému par son chant. Raiponce fut séduite par le prince et, lorsqu'il lui demanda de l'épouser, elle accepta. Puis elle ajouta :
– Je ne peux partir avec toi. C'est trop haut. À chacune de tes visites, apporte-moi un cordon de soie. J'en ferai une échelle, alors je descendrai et tu m'emmèneras sur ton cheval.
Ainsi, le prince revint chaque soir. La sorcière n'eût rien deviné si, un jour, Raiponce ne s'était trahie en disant :
– Marraine, comment se fait-il que vous soyez si lourde à monter alors que le fils du roi, lui, est en haut en un clin d'œil ?
– Ah ! Scélérate ! s'exclama la sorcière. Moi qui croyais t'avoir isolée du monde entier…
Dans sa fureur, elle empoigna les beaux cheveux de Raiponce et coupa la longue natte. Puis elle déposa la jeune fille dans un endroit désert.

Ensuite, elle revint à la tour et accrocha la natte au crochet de la fenêtre.
Le soir même le prince appela :

– Raiponce, Raiponce, descends-moi tes cheveux.

La sorcière déroula la natte et le prince y monta. Mais, à la place de
sa bien-aimée Raiponce, c'était la sorcière qui le fixait de son terrible
regard.

– Ah ! l'oiseau a quitté le nid, ricana-t-elle. Le chat l'a emporté, et il va
maintenant te crever les yeux. Pour toi, Raiponce est perdue, tu ne
la verras jamais plus !

Déchiré de douleur et affolé de désespoir, le fils du roi sauta par la fenêtre,
du haut de la tour : il ne se tua pas ; mais s'il sauva sa vie, il perdit les
yeux en tombant au milieu des épines.

93

Désormais aveugle, il se perdit dans la forêt, se nourrissant de fruits sauvages et de racines, pleurant et se lamentant sans cesse sur la perte de sa bien-aimée. Le malheureux erra ainsi pendant quelque temps, jusqu'au jour où ses pas tâtonnants le conduisirent dans la solitude où Raiponce vivait elle-même misérablement avec les deux jumeaux qu'elle avait mis au monde : un garçon et une fille. Il avait entendu une voix qu'il lui sembla reconnaître, et tout en hésitant, il s'avança vers elle. Raiponce le reconnut alors et lui sauta au cou en pleurant de joie. Deux de ses larmes ayant touché ses yeux, le fils du roi recouvra complètement la vue. Il ramena alors sa bien-aimée dans son royaume, où ils furent accueillis dans l'allégresse, et vécurent heureux, désormais pendant de longues, longues années de bonheur.

HANSEL ET GRETEL

Jacob et Wilhelm Grimm

Une situation semble désespérée, il n'y a pas d'issue. Et pourtant…
L'épreuve se révèle être la cause du bonheur !

Il était une fois un pauvre bûcheron, sa femme et leurs deux enfants. Le garçon s'appelait Hansel et la fille Gretel. Ils vivaient à l'orée d'une forêt. La famille ne mangeait guère. Un jour le pain vint à manquer tout à fait. Le bûcheron ruminait des idées noires et il dit à sa femme :
– Qu'allons-nous devenir ? Comment nourrir nos pauvres enfants ?
– Hélas, répondit sa femme, éplorée, dès l'aube, nous les conduirons au plus profond de la forêt, nous leur allumerons un feu et leur donnerons à chacun un petit morceau de pain. Puis nous irons à notre travail et les abandonnerons…
Les deux petits n'avaient pas pu s'endormir tant ils avaient faim. Ils avaient entendu les paroles de leur mère et Gretel pleurait en silence, tremblant dans les bras de son frère.

– Ne t'inquiète pas, je vais nous sortir de là, la rassura Hansel.

Quand ses parents furent endormis, le garçon s'habilla, se glissa dehors et remplit ses poches de petits cailloux blancs.

Au petit jour, la famille partit dans la forêt. Le bûcheron fit un grand feu et dit, le cœur rempli de chagrin :

– Restez ici auprès du feu pendant que nous allons couper du bois.

Les enfants attendirent longtemps, puis Hansel prit sa sœur par la main et sourit car, en marchant, il avait semé les petits cailloux blancs. Il n'eut pas de mal à retrouver le chemin de leur chaumière et leurs parents, désespérés de les avoir abandonnés, se réjouirent.

Mais, bientôt, la misère se fit telle que Hansel et Gretel se retrouvèrent à nouveau seuls au plus profond de la forêt. Cette fois, Hansel avait semé des miettes de pain. Lorsqu'ils se mirent en route, il fut bien surpris de ne pas les retrouver sur le chemin : les oiseaux les avaient toutes mangées.

Les enfants marchèrent toute la nuit, sans trouver à sortir de la forêt.

Au petit matin, Hansel et Gretel aperçurent une petite maison. Ils virent que les murs de la maison étaient faits de pain et de gâteaux, et que les fenêtres étaient en sucre.

– Quelle aubaine ! dit Hansel, tout ça a l'air si bon !

Et il grimpa sur le toit pour arracher une tuile. Gretel lécha les carreaux. Tout à coup, une voix s'éleva de l'intérieur de la maison :

– Mais qui donc chatouille ma maison ?

– Ce n'est que le vent, répondirent les enfants.

Et ils continuèrent leur festin. Hansel, qui trouvait le toit fort bon, en fit tomber un gros morceau par terre et Gretel découpa une vitre entière, s'assit sur le sol et se mit à manger. La porte, tout à coup, s'ouvrit et une femme, vieille comme les pierres, s'appuyant sur une canne, sortit de la maison. Elle secoua la tête et dit :

– Eh ! chers enfants, qui vous a conduits ici ? Entrez, venez chez moi, il ne vous sera fait aucun mal.

La vieille femme les fit entrer et leur servit un bon repas.

Elle prépara ensuite deux petits lits. Hansel et Gretel s'y couchèrent. Ils se croyaient au Paradis. Mais, en réalité, la vieille était une méchante sorcière qui adorait croquer les enfants. Elle n'avait construit la maison de pain que pour les attirer. À l'aube, elle attrapa Hansel de sa main rêche et l'enferma dans une petite étable. Il eut beau crier, cela ne lui servit à rien. La sorcière s'approcha ensuite de Gretel, la secoua pour la réveiller et s'écria :

– Debout, paresseuse ! Va chercher de l'eau et prépare quelque chose de bon à manger pour ton frère. Il est enfermé à l'étable et il faut qu'il engraisse. Quand il sera à point, je le mangerai.

Tous les matins, la sorcière se rendait à l'étable et disait :

– Hansel, tends tes doigts, que je voie si tu es déjà assez gras.

Mais Hansel tendait un petit os à la place de son doigt et la sorcière, qui avait de mauvais yeux, ne s'en rendait pas compte. Elle s'étonnait qu'il n'engraissât point.

Un jour, perdant patience, l'ogresse décida de le manger. Elle avait déjà allumé le four et de grandes flammes en sortaient.

– Je vais vérifier si le four est assez chaud dit la sorcière.

Et lorsqu'elle y passa la tête, Gretel la poussa vivement dans le four et claqua la porte. La fillette, ignorant les cris de l'ogresse, se précipita auprès de Hansel et le libéra.

Les enfants découvrirent dans tous les coins de la maison des perles et des diamants qu'ils s'empressèrent de glisser dans leurs poches.

– Maintenant, il faut fuir cette forêt ensorcelée, dit Hansel.

Ils marchèrent longtemps, longtemps. Puis, la forêt leur sembla familière et, enfin, ils aperçurent au loin le toit de leur maison.

Les parents, qui les croyaient perdus à tout jamais, pleurèrent de joie en se précipitant à leur rencontre.

Grâce au butin que les enfants rapportaient, ils vécurent heureux et ne manquèrent plus jamais de rien.

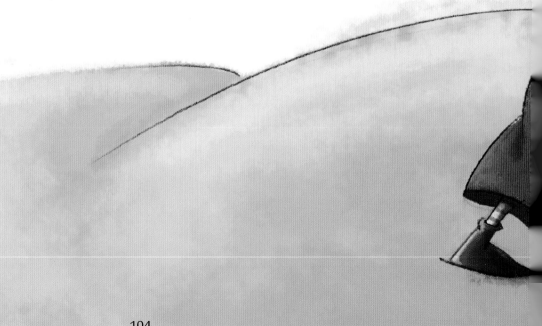

TOM POUCE

Jacob et Wilhelm Grimm

❧

*Loin d'être affligé par sa taille minuscule, Tom Pouce en tire profit et,
doté d'une inébranlable confiance en soi, il se relève de toutes
les péripéties qui surviennent sur sa route.*

Il y a bien longtemps vivaient un pauvre laboureur et sa femme.
Un soir, l'homme s'adressa à son épouse qui filait à côté de lui :
– Quel grand chagrin de ne pas avoir d'enfant. Notre maison est si triste
alors que la gaieté et le bruit animent celle de nos voisins.
– Hélas ! soupira-t-elle, même grand comme le pouce, nous l'aimerions de
tout notre cœur.
Peu de temps après, la femme mit au monde un petit garçon semblable en
tout point à n'importe quel enfant, si ce n'est qu'il mesurait seulement un
pouce de haut. Alors, ils l'appelèrent Tom Pouce.
Les années passèrent et l'enfant ne manquait de rien, cependant, il
gardait toujours sa petite taille. Il devint un petit garçon adroit et avisé.
Son regard trahissait une vive intelligence.

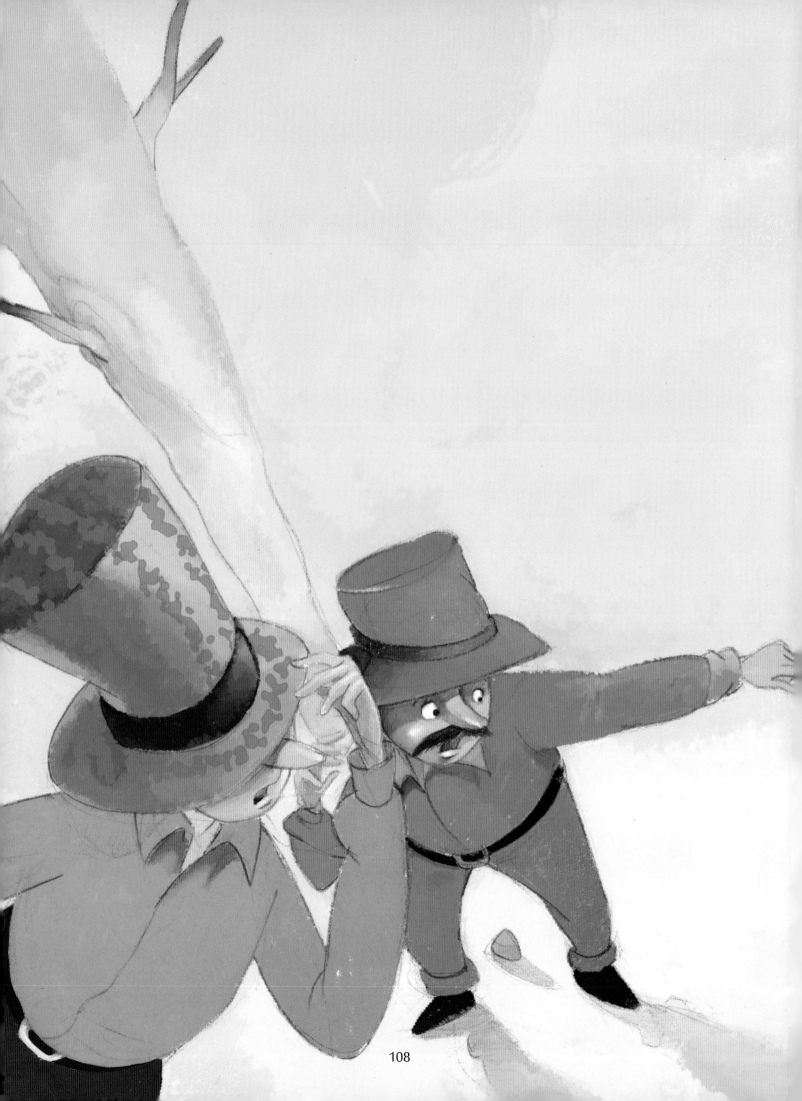

Un jour, pour aider son père, Tom Pouce s'installa dans l'oreille du cheval et mena la charrette tout seul jusqu'à la coupe de bois dans la forêt.

Deux étrangers qui virent passer cet attelage sans charretier furent fort intrigués et le suivirent. Tom Pouce rejoignit son père dans le bois. En découvrant le garçon, les deux hommes furent stupéfaits.

– Il ferait notre fortune si nous l'exhibions dans une foire, murmura l'un.

– Vendez-nous ce garçon, nous en prendrons bien soin proposèrent-ils. .

En entendant ces mots, Tom Pouce souffla dans l'oreille de son père.

– Faites ce qu'ils vous demandent, père, je saurai bien revenir.

Et son père le confia aux deux hommes contre une belle pièce d'or.

L'un d'eux installa Tom sur le bord de son chapeau et ils se mirent en route. Ils marchèrent jusqu'au soir. Alors, le petit garçon demanda :

– Posez-moi par terre, je dois me dégourdir les jambes.

L'homme déposa Tom Pouce dans un champ et, aussitôt, celui-ci s'enfuit et se glissa dans un trou de souris. Les deux gredins tentèrent de le rattraper, mais en vain. La nuit venue, ils rentrèrent chez eux, les mains vides et fort en colère.

Tom Pouce s'installa dans une coquille d'escargot pour y passer la nuit. Il allait s'endormir lorsqu'il surprit une conversation entre deux hommes :

– Comment s'y prendre pour dérober son or à ce richard de curé ?

– Je vais vous le dire, les interrompit malicieusement Tom Pouce.

– Qui a parlé, s'écrièrent les hommes, effrayés.

– Cherchez par terre, s'amusait le garçon.

Les voleurs finirent par le trouver.

– Comment pourrais-tu nous être utile, moustique ? ricanèrent-ils.

– Je me glisserai entre les barreaux de la fenêtre et je vous passerai tout ce que vous voudrez.

Trouvant l'idée fort bonne, les voleurs emmenèrent Tom Pouce avec eux. Arrivé au presbytère, Tom Pouce se glissa à l'intérieur et, plutôt que de voler les biens du curé, il se mit à crier de toutes ses forces :

– Hé, les amis, que dois-je prendre, ici ?
Ohé, vous m'entendez ?
– Plus bas, tu vas réveiller tout le monde !
chuchotèrent les bandits.
Mais Tom criait de plus belle et la servante
finit par se lever pour découvrir l'origine
de ce raffut. Elle se précipita vers la porte,
mais les voleurs s'étaient déjà enfuis. Elle
fouilla la maison puis se recoucha, pensant
qu'elle avait rêvé. Tom Pouce, lui, alla se
cacher dans la grange où, épuisé,
il s'endormit dans le foin.

Le lendemain, la servante se leva dès l'aurore pour donner à manger à sa vache. Elle prit une grande brassée de foin sans se rendre compte qu'elle emportait le pauvre Tom Pouce. Il dormait si bien qu'il ne se réveilla que quand il fut dans la bouche de la vache. Elle l'avala et c'est alors qu'il comprit où il était. Il se mit à crier :

– Ho ! Ne m'envoyez plus de fourrage !

La servante qui était en train de traire la vache reconnut la voix de la veille et fut prise d'une telle frayeur qu'elle renversa le lait. Elle alla en toute hâte chercher le curé.

– Grand Dieu, Monsieur le curé, notre vache parle !

– Allons, allons, tu es folle, répondit le prêtre.

Et il se rendit à l'étable pour comprendre ce qu'il se passait.

À ce moment-là, Tom Pouce recommença à s'égosiller.

– Ne m'envoyez plus de fourrage !

Alors la frayeur gagna le curé lui-même et, s'imaginant que le diable était dans le corps de la vache, il ordonna qu'on la tue. Ainsi fut fait, la pauvre bête fut abattue et son estomac se retrouva dans le fumier.

Tom Pouce pensait qu'il pourrait enfin retourner chez lui, mais c'était compter sans un loup affamé qui passait par là et se régala de l'estomac de la vache. De l'intérieur du ventre, le garçon claironna :
– Cher loup, je vais t'indiquer une chaumière où tu pourras faire bombance. En te glissant par le soupirail, tu trouveras des saucisses et du lard autant qu'il te plaira.

Il le mena tout droit à la maison de ses parents. Le loup, la nuit venue, dévalisa la cave aux provisions. Repu, il voulut repartir, mais il avait le ventre tellement gonflé qu'il ne put repasser par le même chemin. C'était exactement ce qu'avait imaginé Tom Pouce qui se mit à faire un vacarme effroyable dans le ventre du loup.

Au bout d'un moment, ses parents se réveillèrent. Quand ils virent le loup dans la cuisine, le père s'arma d'une hache.

– Cher père, c'est moi, je suis dans le ventre du loup ! cria Tom Pouce.

– Notre cher enfant est revenu ! s'écria le père plein de joie.
Puis il asséna au loup un coup si violent que l'animal en mourut
sur-le-champ. Il lui ouvrit ensuite délicatement le ventre avec
un couteau et délivra son fils.

– Nous étions si inquiets ! Où donc étais-tu ? s'exclama son père.

– J'ai eu tant d'aventures ! Maintenant, je veux rester avec vous !

ALICE AU PAYS DES MERVEILLES

Lewis Carroll

Un pays peuplé d'animaux et de créatures étranges, où tous les prodiges et les fantaisies sont possibles... Le vagabondage de la jeune Alice dans ce monde fantastique est-il réel ou n'est-il qu'un songe ?

Alice lisait paisiblement un livre à côté de sa sœur, lorsqu'un lapin blanc, venu de nulle part, passa près d'elle en courant.
– Je suis en retard ! dit-il en tirant une montre de la poche de son gilet.
Alice se leva d'un bond et le suivit, brûlante de curiosité. Elle le vit se glisser dans un terrier. Elle s'y engouffra à son tour et tomba dans une sorte de puits très profond. Enfin, elle atterrit dans une salle et vit le lapin disparaître par une toute petite porte qui se referma sur lui. Comment le suivre ? La porte était bien trop petite. Alice vit un flacon sur lequel une étiquette indiquait «Bois-moi». Et, sans hésiter, elle ingurgita le contenu. Aussitôt, Alice devint toute petite, elle avait la taille requise pour passer la porte. Le lapin blanc revint en marmonnant :
– Où les ai-je mis, je me le demande ?
Et il ajouta, apercevant Alice :
– Allons, Marie-Anne, courez à la maison et rapportez-moi mes gants !
Alice fut si effrayée qu'elle partit sans essayer de le contredire. Elle arriva devant une jolie maison, entra sans frapper et trouva les gants du lapin. Elle allait partir quand son regard tomba sur une petite bouteille. Il n'y avait aucune étiquette, mais Alice la porta à ses lèvres et but. Elle grandit si fort qu'elle se retrouva la tête coincée contre le plafond et dut même sortir un bras par la fenêtre.
L'instant d'après, une pluie de petits cailloux s'abattait sur elle. Alice remarqua que les cailloux gisant sur le sol se transformaient en gâteaux.
– Si j'en mange un, peut-être redeviendrai-je plus petite, pensa-t-elle.
Et, en effet, elle fut ravie de constater que sa taille diminuait. Elle quitta alors la maison aussi vite qu'elle le put.

Alice se retrouva à l'abri sous un champignon. Son regard rencontra celui d'une grande chenille bleue assise au sommet d'un champignon, fumant tranquillement un narguilé.

– Vous êtes qui, vous ? lança la chenille d'une voix languissante.

– Je… je ne sais plus trop. Depuis ce matin, j'ai pris des tailles si différentes ! C'est à perdre la tête, répondit Alice très poliment.

La chenille s'étira et descendit sur le sol.

– Un côté du champignon vous fera grandir et l'autre rapetisser, dit-elle en s'éloignant.

– Quel est le bon côté ? se demanda Alice en cassant deux morceaux.

Elle grignota celui qu'elle tenait dans sa main droite et, dans la seconde, elle rétrécit pour devenir aussi petite qu'une fourmi. Elle avala rapidement une bouchée de celui qu'elle tenait dans sa main gauche et récupéra une taille satisfaisante.

Alice reprit son chemin à travers le bois et remarqua un arbre doté d'une porte. Elle y pénétra et se retrouva dans un jardin magnifique, au milieu de parterres de fleurs et de fontaines. À ce moment, elle entendit le piétinement de pas nombreux. Une reine de cœur arrivait entourée de ses dix enfants, de soldats puis des invités – tous étaient des cartes à jouer. Alice reconnut parmi eux le lapin blanc.

– Savez-vous jouer au croquet ? hurla la reine en direction d'Alice.

– Oui, cria-t-elle.

– À vos places ! tonna alors la reine.

Une minute après, la partie commença.

Des hérissons et des flamants roses vivants servaient de boules et de maillets et les soldats devaient se plier en deux pour figurer les arceaux. Mais les hérissons se déroulaient, les flamants s'envolaient, les cartes se redressaient.

La Reine hurlait à tout bout de champ :
– Qu'on lui coupe la tête !
Alice remarqua dans les airs une curieuse apparition : c'était un sourire.
Et l'instant d'après une tête de chat, puis un chat tout entier apparurent.
La Reine ordonna qu'on lui coupe la tête, mais avant que le bourreau
arrive, le chat s'était effacé.

L'assemblée se précipitait maintenant vers le tribunal où avait lieu
le procès du valet de cœur, accusé d'avoir volé des tartes. Alice suivit
la foule. Elle écoutait tout avec grand intérêt – elle n'avait jamais assisté
à un procès – lorsqu'elle entendit le lapin blanc crier d'une voix aiguë :

– Témoin suivant, Alice !

Elle se leva et s'approcha du roi de cœur qui était le juge. Elle
commençait à grandir et domina peu à peu l'assemblée.

– Qu'avez-vous à déclarer ? demanda le roi.

– Absolument rien, répondit Alice.

– Ce témoignage est capital, fit le roi. Que le jury prépare son verdict.

– Non, non ! cria la reine, le visage congestionné. Qu'on lui coupe d'abord
la tête !

– Qui se soucie de vous, après tout, dit Alice, vous n'êtes rien d'autre
qu'un jeu de cartes.

À ces mots, le paquet de cartes tout entier s'éleva en l'air et retomba en s'éparpillant sur elle. Elle poussa un petit cri, moitié de frayeur, moitié de colère et se retrouva allongée dans l'herbe, la tête sur les genoux de sa sœur qui ôtait quelques feuilles tombées sur sa robe.

– Tu as fait un bien long somme, dit sa sœur.

– Oh, quel curieux rêve ! dit Alice.

– Il est tard, rentrons, fit sa sœur en riant, tu me raconteras tout ça devant une bonne tasse de thé.

ALADIN

Conte traditionnel

❧

Un redoutable magicien convoite la richesse et le pouvoir, mais un jeune garçon contrarie ses terribles desseins grâce à une lampe étrange.

Un jeune garçon nommé Aladin vivait seul avec sa mère dans un village d'Orient. Son père était mort quelques années auparavant et la veuve travaillait jour et nuit pour gagner un peu d'argent.
Un jour, un étranger venu d'Afrique vint vers Aladin et le dévisagea longuement. Il ressemblait à un riche marchand.
– Mon garçon, lui dit-il, j'ai une tâche à te confier. Si tu veux bien m'aider, ta fortune est faite.
Aladin était si pauvre qu'il n'hésita pas longtemps et accepta.
L'étranger, qui s'appelait Abenazer, emmena Aladin loin, dans lieu aride et désert. Il alluma un feu et y jeta une poudre magique.
Aussitôt, dans un grondement sourd, la terre s'ouvrit en dévoilant un escalier.

– N'aie aucune crainte, dit Abenazer. Tu arriveras dans une caverne où brille une lampe. Apporte-la-moi. Prends cet anneau, il te protégera.

Aladin descendit l'escalier taillé dans le roc et, avançant à tâtons, il arriva dans la caverne. Il prit la lampe et, s'habituant à l'obscurité, il scruta les ténèbres. Ce fut un émerveillement : des coffres, des vases débordaient de pierres précieuses et d'or ! Aladin se remplit les poches de quelques joyaux puis remonta le plus vite qu'il put.

– Donne-moi la lampe, ordonna rudement Abenazer.

Mais Aladin voulait d'abord sortir. Alors, le magicien – car Abenazer en était un – marmonna quelques mots magiques et l'entrée du souterrain fut scellée, enfermant le pauvre garçon sous la terre. Il y resta deux jours, criant et implorant Abenazer. Mais le magicien, dépité, était déjà retourné en Afrique.

D'un geste machinal, le garçon toucha l'anneau qu'Abenazer lui avait donné. Immédiatement, un génie sortit de la lampe et s'inclina devant lui.

– Je suis à tes ordres, Maître, dit-il. Que désires-tu ?

– Je… je voudrais rentrer chez moi, murmura Aladin.

Un nuage de fumée l'enveloppa et l'instant d'après il se retrouva chez lui. Aladin fit le récit de ses terribles aventures à sa mère et lui montra la lampe mystérieuse.

– Pourquoi Abenazer tenait-il tant à cette lampe ? dit la mère, songeuse.

Et elle se mit à polir le métal doré. Alors, dans un grand fracas, le génie apparut à nouveau. La mère d'Aladin poussa un cri de frayeur.

– N'ayez pas peur, mère, la rassura Aladin. C'est un bon génie. C'est grâce à lui que je suis auprès de vous.

– Maître, je suis prêt à t'obéir. Quel est ton vœu ? demanda le génie.

– Nous avons faim, dit Aladin. Et nous aimerions de beaux vêtements.

Aussitôt le génie réalisa ses souhaits sous les yeux stupéfaits de la mère. Cette nuit-là, Aladin dormit d'un sommeil profond. Le lendemain, il alla revendre les pierres précieuses qu'il avait emportées de la caverne. Ainsi, sa mère et lui purent vivre à l'abri du besoin. Aladin rangea la lampe qui effrayait sa mère et ne l'utilisa plus. Les années passèrent.

Un jour Aladin aperçut la princesse Badroulboudour, fille du sultan, qui se rendait aux bains en compagnie de ses suivantes. Elle était si belle que le jeune homme en tomba amoureux au point d'en perdre le sommeil. Comment la séduire ? Aladin décida de réveiller le génie qui sommeillait dans la lampe.

– Maître, je suis prêt à t'obéir. Quel est ton vœu ? demanda-t-il en s'inclinant.

– Je veux de l'or et des pierres précieuses, ordonna Aladin.

Le jour même, il alla offrir ces cadeaux au sultan et, proclamant son amour pour la princesse, il lui demanda sa main.

Le sultan fut très impressionné par la témérité du jeune homme et Badroulboudour en tomba amoureuse dès qu'elle le vit.

Quelque temps plus tard, les jeunes gens se marièrent et se retirèrent dans un magnifique palais qu'Aladin avait fait bâtir sur une colline par le génie.

Cependant, Abenazer apprit qu'Aladin était toujours en vie et qu'il avait épousé la princesse. Il profita d'une absence du jeune homme pour tenter de récupérer la lampe. Déguisé en colporteur, il se présenta au palais.
– J'échange vos vieilles lampes contre des neuves, criait-il.
La princesse, voulant faire une surprise à son époux, échangea la vieille lampe qu'il gardait dans leur chambre contre une neuve. Abenazer, dès qu'il l'eut entre les mains, appela le génie et lui ordonna de transporter le palais en plein cœur de l'Afrique.

Lorsqu'Aladin revint, il fut pétrifié : disparus sa tendre épouse, son palais magnifique et sa lampe merveilleuse !
Alors, il frotta l'anneau magique qui n'avait jamais quitté son doigt et le génie apparut.
– Transporte-moi auprès de mon épouse, ordonna Aladin.
En un instant, il se retrouva dans son palais, dans la pièce où Abenazer retenait Badroulboudour captive.

– Abenazer vient me voir chaque soir et me
tourmente pour que j'accepte de l'épouser,
se plaignit-elle.

– Mon aimée, dit Aladin, verse ceci
dans la coupe que tu lui offriras.

Et le jeune homme lui remit une fiole
contenant du poison.

Tout se passa comme prévu et le sorcier
mourut.

Aladin récupéra alors la lampe magique et
appela le génie pour que tout rentre
dans l'ordre. L'instant d'après le
palais se dressait à
nouveau sur
la colline et
il abrita le
bonheur des
époux pendant
de longues
années.

Les auteurs

❧

QUI NE CONNAÎT BLANCHE-NEIGE, CENDRILLON OU PINOCCHIO ? CES CONTES APPARTIENNENT AU PATRIMOINE LITTÉRAIRE ET LEURS AUTEURS, CÉLÈBRES DANS LE MONDE ENTIER, PLONGENT, AUJOURD'HUI ENCORE, LES ENFANTS ET LES ADULTES DANS UN MONDE IMAGINAIRE MERVEILLEUX.

CHARLES PERRAULT
1628-1703

Fils d'un avocat au parlement de Paris, Charles Perrault naquit en 1628. Il était le septième et dernier enfant d'une famille bourgeoise aisée, proche de la cour royale. Élevé dans un milieu intellectuel très stimulant (ses frères étaient avocat, médecin, architecte et mathématicien), Charles fit de brillantes études littéraires dans un collège parisien qu'il quitta à la suite d'un différend avec l'un de ses professeurs. Il poursuivit alors son apprentissage en autodidacte, lisant les auteurs anciens et contemporains, sacrés ou profanes et les historiens. Protégé par Colbert, Charles Perrault contribua à la fondation de l'Académie des sciences et à la reconstitution de l'Académie de peinture. Membre de l'Académie française, il fut l'initiateur de la «querelle des Anciens et des Modernes» qui opposa les écrivains de la fin du XVIIe siècle : les partisans des auteurs de l'Antiquité, représentant la perfection, contre ceux qui, comme Charles Perrault, pensaient que la création littéraire devait innover. Touche-à-tout littéraire, Charles Perrault s'essaya au genre galant et à la poésie. Il écrivit la biographie de personnages illustres français. Mais ce sont «les Contes de ma mère l'Oye», publiés en 1697 sous le nom de son fils Perrault Darmancour, qui firent la célébrité de l'auteur et qui lancèrent le genre littéraire des contes de fées. On lui doit des versions du Petit Chaperon rouge, de La Belle au bois dormant, de Cendrillon, de Tom Pouce, du Chat botté, de Barbe-Bleue et de bien d'autres contes. Charles Perrault mourut en 1703, à l'âge de soixante-quinze ans.

Jacob et Wilhelm Grimm 1785-1863 1786-1859

Jacob Ludwig Karl Grimm (l'aîné) et Wilhelm Karl Grimm (le cadet) naquirent en Allemagne dans une famille nombreuse. Ils sont connus dans le monde entier sous le nom des frères Grimm. Leur père mourut alors que Jacob n'avait que onze ans. Jacob et Wilhelm étudièrent le droit. Mais, dès vingt-trois ans, après le décès de sa mère, Jacob, en sa qualité d'aîné dut subvenir aux besoins de la famille. Les frères Grimm travaillèrent dans le monde diplomatique et dans diverses bibliothèques. Linguistes et philologues, ils publièrent des œuvres majeures (Jacob, une grammaire allemande, base de la philologie allemande et tous deux entamèrent la publication d'un dictionnaire allemand dont le 32e et dernier volume sera achevé 100 ans plus tard, en 1961). Passionnés par la langue et la littérature allemandes, les deux frères menèrent des recherches et des études approfondies dans les bibliothèques et récoltèrent des légendes et des contes anciens de la tradition populaire germanique. En 1812, ils publièrent un recueil, «Contes de l'enfance et du foyer», qui sera suivi d'un deuxième tome, puis d'un troisième et qui seront ensuite réunis en un seul volume qui les fera passer à la postérité.

Leurs contes les plus célèbres sont Cendrillon, Blanche-Neige et les sept nains, La Belle au bois dormant, Le Petit Chaperon rouge, Hansel et Gretel…

Hans Christian Andersen 1805-1875

Né au Danemark en 1805, Hans Christian Andersen est le fils d'un cordonnier. Sa famille vivait dans des conditions d'extrême pauvreté et logeait dans une seule chambre de la maison de la grand-mère maternelle. Son grand-père paternel souffrait de troubles mentaux et Andersen craignit longtemps d'être affecté de la même maladie. Hans Christian Andersen était un personnage singulier, débordant d'imagination et d'excentricités. À la mort de son père, en 1815, Hans Christian cessa d'aller à l'école et fut livré à lui-même, construisant un théâtre de marionnettes, habillant celles-ci et lisant tous les ouvrages dramatiques qu'il put emprunter. En 1819, souhaitant devenir chanteur d'opéra, la tête pleine de rêves de gloire, il partit pour Copenhague, la capitale. Après une période difficile, il suscita l'intérêt de divers bienfaiteurs et put suivre des cours de danse, d'art dramatique et entra au collège, bénéficiant de la protection du roi Frédéric VI qui était intéressé par ce garçon étrange. En 1829, il écrivit «Promenade du canal de Holmen à la pointe orientale d'Amager» qui obtint un certain succès. Les œuvres se succédèrent alors, poèmes, pièces de théâtre, récits de voyage (Andersen fut un grand voyageur) et bientôt il commença à avoir une certaine notoriété.

En 1833, il publia les premiers contes, s'inspirant de la tradition populaire, de l'histoire ou même de sa propre vie. Une deuxième série de contes parut en 1838 puis il ne cessa d'en écrire jusqu'à la fin de sa vie. Sa renommée était mondiale.

Andersen écrivit cent cinquante-six contes dont les plus connus sont Le Vilain Petit Canard, la Petite Sirène, La Princesse au petit pois, Les Habits neufs de l'empereur, La Reine des neiges, La Petite Fille aux allumettes…

Il mourut en 1875, à l'âge de soixante-dix ans.

Collodi   1826-1890

Carlo Lorenzini naquit en 1826. Il est plus connu sous le nom de Collodi, le village natal de sa mère en Toscane. Ses parents, pour subvenir aux besoins de leur famille nombreuse (ils eurent dix enfants dont six moururent en bas âge), travaillaient pour une riche famille. Le petit Carlo, qui était l'aîné, fut envoyé chez une tante à Collodi pour aller à l'école.

En 1837, il entra au séminaire où il resta jusqu'en 1842. Il commença à travailler comme commis dans une librairie, puis comme journaliste, se distinguant dans le monde littéraire par la fondation d'un quotidien de satire politique «Il Lampione». Collodi commença à écrire des romans et des comédies. En 1876, il adapta des contes traditionnels pour les enfants (il traduisit les contes de Perrault en italien) et écrivit des livres éducatifs qui eurent un grand succès.

En 1881, Collodi reçut la commande d'un récit à épisodes pour «Le journal des enfants». C'est ainsi que naquit Pinocchio dont les aventures parurent en feuilleton jusqu'en janvier 1883. Puis il fut publié, dans de nombreuses éditions, en un seul livre réunissant tous les épisodes. Pinocchio devint très vite un personnage universel et, aujourd'hui, c'est un des livres les plus lus au monde.

Collodi mourut à Florence en 1890.

Lewis Carroll   1832-1898

Lewis Carroll, de son vrai nom Charles Lutwidge Dodgson, naquit en 1832 dans une famille anglicane pauvre et austère de onze enfants. Son père était pasteur. Le jeune Charles se révéla être un lecteur précoce et un élève brillant, doué pour les mathématiques qu'il enseigna au Christ Church Collège d'Oxford, malgré le bégaiement dont il était affligé.

Dès son plus jeune âge, Charles Dodgson montra un goût pour la fantaisie, inventant des jeux et montant des spectacles de marionnettes pour ses frères et sœurs. À douze ans, il commença à écrire des poésies, des pièces de théâtre, des articles divers.

À vingt-trois ans, il découvrit la photographie qui n'en était qu'à ses débuts et il devint un véritable connaisseur. Ses modèles préférés étaient les petites filles, une des passions de sa vie, avec les mathématiques et l'écriture. Il photographia beaucoup les enfants du recteur de son collège, le révérend Liddell.

En1856, quelques nouvelles et poèmes qu'il avait écrits sont publiés et c'est à ce moment qu'il prit le nom de plume de Lewis Carroll.

En 1862, lors d'une promenade en barque avec les trois sœurs Liddell, dont la petite Alice, Lewis Carroll raconta une histoire qui devait devenir Alice au pays des merveilles. Le texte fut publié en 1865 et connut un succès immédiat. Il écrivit une suite deux ans plus tard «De l'autre côté du miroir» puis, en 1876, un autre conte «La Chasse au snark» qui connut lui aussi un grand succès.

Parallèlement, et à l'insu de ses nombreux lecteurs, Charles Lutwidge Dodgson poursuivait son travail de professeur de mathématiques, matière au sujet de laquelle il écrivit divers livres et traités.

Lewis Carroll mourut des suites d'une bronchite en 1898.

JOSEPH JACOB   1854-1916

On connaît peu de choses de la jeunesse de Joseph Jacob qui naquit à Sydney en Australie. À dix-huit ans, il partit en Angleterre pour y faire ses études, qu'il poursuivit ensuite à l'université de Berlin.

Joseph Jacob, d'origine juive, était un grand historien du judaïsme. Il s'intéressa au folklore, devenant un expert mondialement reconnu dans ce domaine.

Il édita cinq collections de contes de fées anglais et européens.

Il mourut en 1916, aux États-Unis où il s'était installé depuis quelques années.

Index

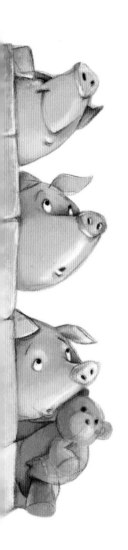

Un livre est un trésor à découvrir jour après jour et un outil magnifique pour aider les enfants à grandir.

PETITS CONSEILS POUR FAIRE GRANDIR LE PLAISIR DE LIRE

Chers parents,

Les livres sont une source infinie de plaisir et de détente. Ils permettent de s'évader et de rêver. Mais pas seulement… Ils sont très importants pour le développement de votre enfant et l'aident à grandir. Voici quelques conseils pour découvrir la meilleure façon de partager un moment privilégié.

• Lisez à haute voix et racontez l'histoire de manière expressive. N'hésitez pas à imiter la grosse voix du loup, celle chevrotante de la sorcière ou encore celle, chantante, de la fée, soufflez comme le vent dans les arbres, grondez comme le tonnerre. Faites frémir votre enfant de plaisir !

• Les contes appartiennent à notre patrimoine culturel, ils permettent de fantasmer, de rêver, mais aussi d'affronter la vie réelle à travers chaque expérience, chaque émotion, chaque situation de l'histoire qui rappelle la réalité quotidienne.

• La lecture d'un conte est l'occasion d'enrichir le bagage intellectuel de votre enfant. Vous pourrez lui apprendre des mots nouveaux ou commenter l'histoire. Encouragez ses questions. Utilisez le récit pour dialoguer avec lui et amorcer une discussion.

• Respectez le rythme de votre enfant : lisez deux, trois pages ou toutes selon son envie. Et n'hésitez pas à lire et relire les mêmes histoires !

• Laissez à votre enfant le libre accès aux livres de la bibliothèque, permettez-lui de les feuilleter, d'en tourner les pages, d'observer les images, à tout moment de la journée.

• Ne boudez pas votre plaisir et évadez-vous ensemble dans un voyage merveilleux au pays des contes !